Rosemary Sutcliff

MERCH Y PENNAETH

addasiad

GWENAN JONES

Darluniau gan Victor Ambrus

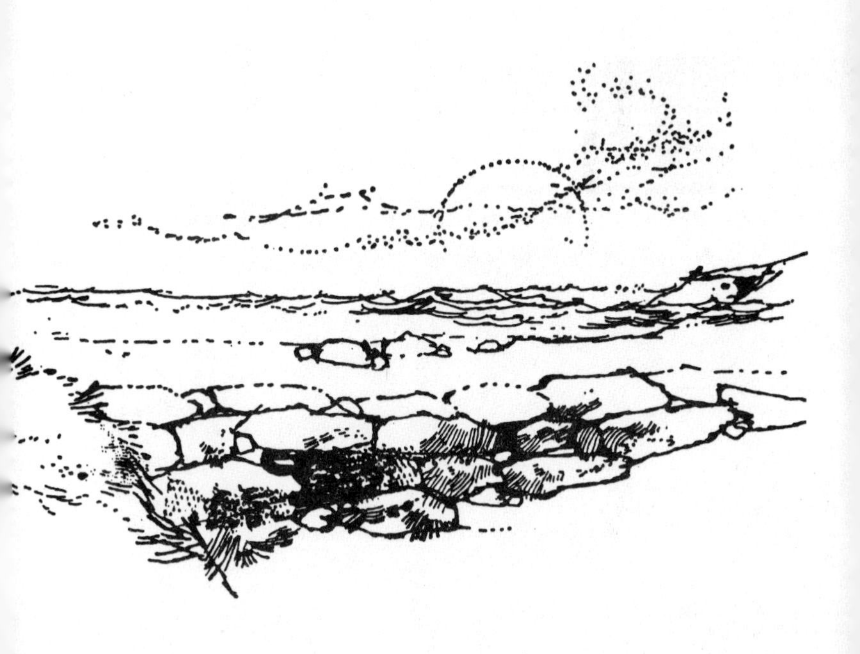

Argraffiad Cymraeg cyntaf—Awst 1983

Cyhoeddwyd gyntaf ym Mhrydain gan Hamish Hamilton Ltd., 1967

Teitl gwreiddiol *The Chief's Daughter*

ISBN 0 86383 030 7

Cyhoeddwyd dan gynllun comisiynu'r Cyngor Llyfrau Cymraeg.

Dymuna'r cyhoeddwyr gydnabod cymorth a chyfarwyddyd Adrannau'r Cyngor Llyfrau Cymraeg a noddir gan Gyngor Celfyddydau Cymru.

Argraffwyd gan J. D. Lewis a'i Feibion Cyf., Gwasg Gomer, Llandysul, Dyfed.

MERCH Y PENNAETH

PENNOD 1

Roedd yr haul yn machlud yn goch heno eto yn y môr tu cefn i'r gaer. Arwydd sicr o ddiwrnod poeth arall fory. Doedd dim sôn am law yn unman ac fel hyn y bu hi trwy gydol yr haf. Un diwrnod poeth yn dilyn y llall.

Roedd y gaer mewn safle bendigedig. Disgynnai clogwyni serth i'r môr ar un ochr iddi ac roedd y tair ochr arall wedi eu cau gan furiau trwchus o bridd. Yn rhan uchaf y gaer roedd Neuadd y Pennaeth ac yno y cedwid Tân y Llwyth yn llosgi trwy'r adeg. Fel arfer, dim ond y Pennaeth a'i warchodlu oedd yn byw yn y rhan hon o'r gaer. Trigai gweddill y llwyth mewn cytiau cerrig oedd wedi eu gwasgaru yma ac acw o fewn ffiniau'r gaer. Dim ond ar adeg o ryfel y casglai'r llwyth at ei gilydd o gwmpas Neuadd y Pennaeth gan ddod â'u hanifeiliaid gyda hwy.

Ers tridiau bellach roedd rhyw stŵr anarferol yn y gaer oherwydd daethai'r gelynion unwaith yn rhagor dros y môr o Iwerddon gan ymosod a rheibio mannau ar arfordir Cymru. Doedd neb yn y llwyth yn hoffi'r adegau hyn. Byddent yn casglu eu hanifeiliaid—y gwartheg, y defaid, y moch a'r geifr at ei gilydd o gwmpas Neuadd y Pennaeth i gysgodi. Roedd pawb yn gorfod gadael eu cartrefi a

dod i aros yn y cytiau o gwmpas y Neuadd, a byddai'n rhaid gwarchod y muriau ddydd a nos rhag ofn i'r gelynion ymosod ar y gaer. Yn wir, roedd digonedd o waith i bawb ar adeg fel hon.

Wrth ochr Neuadd y Pennaeth roedd y cwt lle cadwai'r llwyth eu tarw du. Ar do'r cwt hwnnw gorwedd-ai bachgen ifanc yn synfyfyrio. Oherwydd fod y cwt, fel Neuadd y

Pennaeth, mewn man uchel yn y gaer roedd hi'n ddigon hawdd gweld am filltiroedd draw i'r môr. Syllu'n drist tuag at y machlud yn y gorllewin a wnâi'r bachgen. Roedd to grug y cwt yn lle ardderchog i orwedd arno ar noson fel hon. Prin y sylwodd ar y ferch eiddil, bryd tywyll a ddringodd ato. Daliai i edrych draw at y gorwel pell.

Eisteddodd y ferch wrth ei ochr heb ddweud yr un gair, dim ond chwarae gyda'r bluen gwylan a dynnodd o'r grug. Ceisiai ei gorau i'w phlethu i dresi ei gwallt hir du ond ni fynnai'r bluen aros yno. Roedd y ferch yn debyg i weddill trigolion y gaer, yn fach a thywyll a'i llygaid yn pefrio yn ei phen wrth iddi chwarae â'r bluen.

Edrychai'r bachgen yn wahanol iawn iddynt. Roedd ei groen yn oleuach, a'i lygaid a'i wallt yr un lliw â'r gadwyn ambr a wisgai am ei wddw. Roedd rhyw olwg bell, drist yn ei lygaid wrth iddo orwedd yno heb ddweud dim. Nid oedd yn perthyn i lwyth y ferch ond yn hytrach fe'i gadawyd yno'n garcharor.

Rhoddodd y ferch y gorau i chwarae â'r bluen a throi at y bachgen.

'Fedra i mo dy ddeall di, Dara, yn dal i syllu i'r môr fel'na. Wn i ddim wir be sy'n bod arnat ti.' Daliodd y bachgen i syllu.

'Pryd dealli di, dywed, yno mae 'nghartra i, draw tuag at y machlud,' meddai ef.

'Wel doedd dim angen i chi'r Gwyddelod adael Iwerddon i ymosod arnon ni. Pam daethoch chi yma? Rydych chi'n dod o hyd ac o hyd i ysbeilio a dwyn ein hanifeiliaid a'n heiddo. Wn i ddim faint o weithiau mae 'Nhad wedi casglu ei ddynion at ei gilydd yn ystod y deunaw mis diwethaf am fod sôn fod cychod Gwyddelod o gwmpas yr arfordir 'ma. A ph'run bynnag, adra roedd dy le di.'

'Sut y gallwn i aros adra gyda'r

merched? Dwyt ti ddim yn deall, Nessan.'

'Ddim yn deall, wel rydw i'n deall un peth, beth bynnag, 'tasat ti wedi aros adra fyddet ti ddim wedi dy ddal yn y frwydr. Doedd gen ti ddim gobaith, Dara, yn erbyn milwyr fy nhad. Maen nhw wedi bod yn brwydro yn erbyn dy bobl di ers blynyddoedd, cofia.'

'Llithro ar y creigiau wnes i, a throi

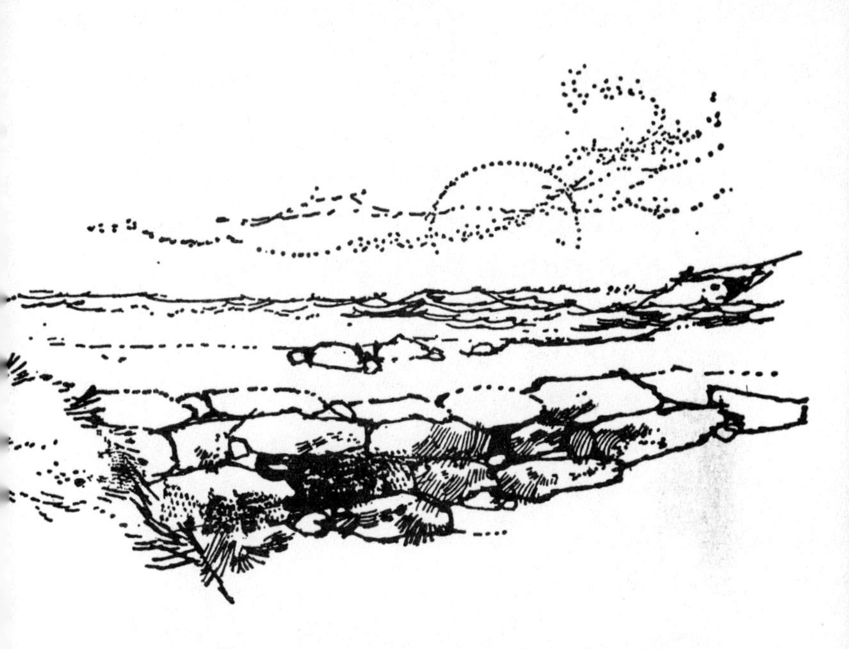

’nhroed—neu fasan nhw byth wedi fy nal! Rydw i wedi hen arfer dianc o flaen y gelyn.’

‘Adra roedd dy le di, Dara.’

‘Rydw i’n ddyn, ac felly fel pob dyn arall gwerth chweil yn y llwyth roedd yn rhaid i mi ddod.’

‘Dyn! Deuddeg wyt ti rŵan. Dwy flynedd yn hŷn na fi. Chreda i ddim fod yn rhaid i ti ddod, Dara ond ’ta waeth, rwyt ti wedi ymgartrefu yma efo ni rŵan.’

Anwybyddodd Dara ei geiriau. Gwyddai o'r gorau bellach nad oedd pwrpas dadlau gyda Nessan.

Ymhell bell islaw iddynt roedd y môr yn torri'n wyn ar y creigiau a'r gwylanod yn sbotiau bychain yn hedfan yma ac acw, ac o dan y to grug clywent chwythu ysgafn y tarw du. Trodd y ferch at y bachgen a dweud yn flin, 'O'r gora, dalia ati i syllu i'r machlud. Wna i ddim crefu arnat ti i siarad efo fi.'

'Rydw i'n synnu dy fod eisiau siarad efo carcharor,' atebodd Dara'n bigog. 'Doedd dim rhaid i ti ddringo yma ar fy ôl i beth bynnag.'

'Fasat ti ddim yn garcharor 'taswn i heb erfyn drosot ti. Roedden nhw'n bwriadu dy aberthu i'r Fam Ddu. Wyddet ti hynny?'

'Rydw i'n gwybod hynny'n iawn. Rwyt ti wedi edliw hynny i mi sawl gwaith,' ysgyrnygodd Dara rhwng ei ddannedd. 'Braint o'r mwya' yw fod Nessan, merch y Pennaeth, wedi erfyn

drosta i. Fe ddyliwn i gofio hynny bob amser a bod yn ddiolchgar.'

'Dylet, achos fe roddais i fy mreichled orau, y freichled gwydr glas, i'r Fam yn ogystal ag erfyn gyda 'Nhad a Laethrig yr Offeiriad. Roedd gan bawb ofn i'r Fam fod yn flin efo ni am dy gadw'n fyw.'

Daeth un o ddynion y gaer heibio i'r cwt a'u gweld yn lled-orwedd ar y to. Gwaeddodd ar Dara i hel ei draed i weithio gan fod y gwartheg yn aros am eu dŵr.

* * *

Ochr y môr i Neuadd y Pennaeth roedd y pistyll lle câi pawb o'r llwyth eu dŵr. Llanwai'r pistyll bwll bychan ac roedd gofer hwnnw'n rhedeg yn ffrwd am y môr gan ddisgyn yn un ruban gwyn dros y clogwyni a'r creigiau. Roedd y pistyll yn bwysig iawn yn y gaer ond yn arbennig felly ar adeg

fel hon pan oedd perygl i'r gelyn ymosod arnynt.

Wrth iddynt ddyfrio'r anifeiliaid y noson honno tybiai rhai fod y dŵr yn y pwll ychydig yn is nag arfer.

'Welais i 'rioed mo dŵr y pwll 'ma mor isel,' meddai un o'r dynion.

'Fe fyddai ar ben arnon ni os

sychai'r pistyll,' ychwanegodd un arall, 'yn arbennig gan fod sôn am y Gwyddelod hyd y fan 'ma eto. Dyma'r unig ddŵr sydd yn y gaer, felly be wnaen ni a'r anifeiliaid?'

'Peidiwch â phoeni,' meddai'r hen ŵr a eisteddai ar garreg wrth y pwll, 'rydw i'n un o'r rhai hyna' yn y gaer yma a does gen i ddim co' i'r pistyll erioed sychu, a chlywais i neb yn sôn amdano'n sychu chwaith.'

Bob yn un ac un gadawodd y dynion a'u hanifeiliaid y pwll, y dynion yn troi a throsi'r broblem yn eu meddyliau a'r anifeiliaid yn brefu'n isel wrth deimlo anesmwythyd dynion y gaer.

Bore trannoeth pan aeth y merched at y pistyll i lenwi eu piseri am y dydd roedd pethau lawer iawn yn waeth. Prin fod dim gofer o gwbl a chymrodd y pwll hydoedd i ail-lenwi fesul diferyn. Wyddai neb beth ar wyneb daear oedd yn bod.

'Mae hi'n ddigon anodd cario dŵr fel hyn, bob dydd, a'r pwll yn llawn,'

cwynodd un ohonynt, ‘mae’n siwrnai bell a’r dŵr yn drwm. Tydy rhywun yn gwastraffu cymaint o amser yn disgwyl i’r hen bwll ’ma lenwi? Does gen i mo’r amser i sefyllian yma, mae cymaint o waith paratoi rhag ofn i’r Gwyddelod ddod.’

‘Rwyt ti’n iawn, ond fe fyddai’n gan mil gwaeth arnon ni pe bai dim dŵr yn y pwll. Wn i ddim be ddôi ohonon ni wir.’

‘Un peth fydd yn rhaid i ni ei wneud yn sicr fydd gofalu na wastraffwn ni ddim diferyn o’r dŵr yma. Gwrandwch ar y gwartheg yn brefu. Chafon nhw ddim digon o ddŵr neithiwr yn siŵr i chi.’

‘Gan bwyll efo’r bwced ddŵr ’na, Seran fach. Paid â brysio cymaint ar dy ffordd adra. Fe fydd dy fam angen bob dafn sydd yn honna.’

‘Bydd rhaid i ni wneud rhywbeth. Edrychwch, prin fod dim dŵr yn dod i’r pwll o gwbl. Dydy o wedi llenwi dim ers i Seran fynd â’r fwcedaid yna.’

'Ond beth allwn ni ei wneud?'

'Does ond un peth amdani,' atebodd un o'r merched, 'mae'n rhaid i ni ddweud wrth y Pennaeth. Mae'n rhaid iddo gael gwybod.'

Wedi clywed y newydd daeth y Pennaeth yno ar unwaith gan syllu ar

yn ail i'r pwll llonydd wrth ei draed ac yna'n ôl i'r awyr las ddigwmwl gan grafu'i ben fel ag y gwnâi bob amser pan fyddai rhywbeth yn ei boeni.

'Does dim angen i chi boeni. Mae hi'n sicr o fwrw yn fuan,' meddai a mwy o bendantrwydd yn ei lais nag a deimlai yn ei galon. 'Mae hi wedi bod yn sych ers cymaint. Ond yn y cyfamser mae'n rhaid i ni wneud un peth; mae'n rhaid i bawb ddogni'r dŵr. Fe fydd pawb yn cael ei siâr a dim ond ei siâr ac felly fe fydd yn rhaid i chi i gyd fod yn ofalus a pheidio â gwastraffu dim.'

Ddywedodd o ddim mo'r cyfan oedd ar ei feddwl chwaith ond gwyddai pawb os na fyddai dŵr y byddai ar ben ar y gaer. Ni fyddai modd iddynt wrthsefyll y gelyn.

Aeth y Pennaeth yn ôl i'w Neuadd a phawb arall at eu gwaith ond bu mynd a dod mawr trwy'r dydd at y pistyll a phawb yn sefyllian yn awr ac yn y man i edrych a oedd golwg am law. Erbyn gyda'r nos pan ymlwybrodd pawb unwaith eto at y pistyll, prin fod y pwll wedi llenwi a doedd dim yn goferu drosodd i lawr y clogwyni i'r môr. Oedd, roedd pethau'n edrych yn ddu iawn ar y gaer.

* * *

Penderfynodd y Pennaeth drannoeth ei bod yn rhaid iddo alw am Laethrig yr Offeiriad a chael ei gyngor. Hen ddyn, tenau, crebachlyd a'i groen melyn yn rhychau i gyd oedd Laethrig. Wyddai neb faint oedd ei oed, ond roedd o fel petai wedi bod gyda'r llwyth erioed. Roedd ei wallt yn hir a chlaerwyn ac roedd ganddo farf laes. Gwisgai fantell o groen gafr dros ei ysgwyddau bob amser ac am ei wddw roedd cadwyn o esgyrn mân.

Roedd pawb o drigolion y gaer erbyn hyn wedi ymgasglu o gwmpas y pistyll, yn ddynion, merched a phlant. Roedd golwg bryderus, boenus ar wynebau'r dynion a'r merched, rhai yn sibrwd ac yn ochneidio ymhlith ei gilydd ac ambell un yn uwch ei gloch na'r gweddill yn pregethu y dylid gwneud rhywbeth ar unwaith ac nad oedd pwrpas sefyllian yno yn syllu ar y pwll. Roedd y plant ieuenga' wrth eu boddau yn rhedeg a rasio o gwmpas y bobl gan sgrechian a bloeddio.

Daeth Laethrig yn araf o Neuadd y Pennaeth. Llusgai ei draed hyd y llawr ac roedd ei ben bron o'r golwg ym mhlygion ei fantell. Tawelodd y dorf ar unwaith wrth iddo nesu at y pistyll; tawodd y rhai ucha' eu cloch a chiliodd y rhai a sibrydai yn ôl i wneud lle iddo. Closiodd y plant at eu rhieni a pheidiodd y rhedeg a'r rasio.

'Pwy ydy hwn, Mam?' holodd un bachgen bach.

'Shh! Laethrig yr offeiriad, ac mae'n rhaid i tithau fod yn ddistaw a gwrando'n ofalus. Fe fydd yn dweud wrthon ni sut i gael y dŵr yn ôl i'r pwll.'

'Pam mae pawb wedi mynd mor ddistaw?' sibrydodd y bychan.

'Am fod Laethrig yn ddyn pwysig ac mae hi'n bwysig, bwysig i ni gael dŵr yn y pwll unwaith eto.'

Eisteddodd Laethrig wrth y pistyll ac roedd golwg bell, bell yn ei lygaid.

Safai pawb o drigolion y gaer o'i gwmpas heb ddweud dim, gan ddisgwyl iddo siarad. Ymhen hir aeth yr olwg bell o'i lygaid a dywedodd wrthynt, 'Roeddwn i wedi rhag-weld hyn. Mae'r Fam Ddu yn ddig gyda ni am i ni arbed y carcharor o Iwerddon rhag cael ei aberthu.'

'Pwy ydy'r Fam Ddu, Mam?' holodd y bachgen bach unwaith eto.

'Shh! Paid â holi cymaint, da thi.'

'Ond pwy ydy hi, Mam?'

'Duwies ydy hi. Y Fam Ddu sy'n edrych ar ein holau ni i gyd yma, ac yn gwneud yn siŵr nad oes 'na ddim byd cas yn digwydd i ni, ond mae'n rhaid i ni fod yn ofalus nad ydan ni ddim yn ei digio. Mae hi wedi digio wrthon ni rŵan a'i ffordd o ddangos ei bod hi'n ddig ydy rhwystro'r dŵr rhag dod i'r pwll. Felly mae'n rhaid i ni wneud rhywbeth i'w phlesio hi.'

Syllodd y Pennaeth yn drist achos roedd wedi dod yn hoff o'r bachgen hwn o Wyddel a ddylai fod yn elyn iddo. Y cwbl a ddywedodd oedd: 'Ewyllys y Dduwies yw Ewyllys y Dduwies. Beth ddylen ni ei wneud, Laethrig?'

Yn araf cododd yr Offeiriad ar ei draed. Doedd ei neges ddim yn un hawdd ac eto ei dweud oedd yn rhaid.

'Gyda'r gwyll heno bydd yn rhaid i ni ddechrau galw ar y Dduwies gyda'r drymiau ac ar fachlud y lleuad—aberthu. Bydd hynny'n ddigon i dawelu'r Fam Ddu a chawn ninnau'r dŵr sydd mor angenrheidiol i ni.'

Roedd Nessan yn sefyll ar gyrion y dyrfa oedd o gwmpas Laethrig ac wrth glywed ei eiriau teimlodd rhywbeth yn rhoi tro yn mhwll ei stumog. Teimlai yn union fel petai mewn hunllef ac yn yr hunllef gwelodd filwr yn gafael yn Dara ac yntau'n edrych mewn syndod. Sylweddolodd Nessan nad oedd Dara wedi deall yn hollol beth oedd Laethrig wedi'i ddweud. Roedd hi a Dara yn deall ei gilydd yn iawn ond nid yr un iaith yn hollol oedd iaith ei llwyth hi â iaith y Gwyddelod.

Teimlodd Nessan gryndod yn mynd drwyddi er bod y noson yn boeth a thrymaidd. Doedd bosib y buasai ei thad yn aberthu Dara. Ac eto, pa ddewis oedd ganddo? Roedd dŵr yn y gaer yn llawer pwysicach i'r llwyth na charcharor o Wyddel. Yng nghanol yr hunllef gwelodd Dara'n cael ei arwain o'r dyrfa gan y milwr ac yntau'n ciledrych yn ôl a golwg fel

anifail gwyllt mewn magl yn ei lygaid. Aberthu Dara, roedden nhw'n mynd i aberthu Dara cyn machlud y lleuad! Roedd hynny'n amhosibl, chaen nhw ddim aberthu Dara. Roedd yn rhaid gwneud rhywbeth, ond beth? Roedd Laethrig newydd ddweud mai hon oedd yr unig ffordd i achub y gaer, ond eto . . . Beth allai hi ei wneud? Gallai ei helpu i ddianc, ond sut? Tros y waliau trwchus? Roedd milwyr wrth pob giât. Na, roedd yn amhosibl dianc tros y waliau roedd gormod o filwyr o gwmpas yn gwarchod ar ôl clywed y si fod y Gwyddelod o gwmpas. Roedd yn rhaid gwneud rhywbeth, ond beth? Roedd syniadau'n gwibio'n ôl ac ymlaen trwy'i phen ac yn sydyn gwelodd yn hollol glir beth fyddai'n rhaid iddi ei wneud.

Lledai sŵn wylo dolefus dros y gaer dan fysedd y tabyrddwyr ac wrth glywed y sŵn casglodd gweddill y llwyth ynghyd.

Erbyn hyn roedd yr haul wedi machlud a rhimyn o leuad main wedi codi. Closiodd pawb yn y llwyth at ei gilydd gan sibrwd a siarad. Roedd pawb o'r gaer yno ac edrychent yn ddisgwylgar at Neuadd y Pennaeth i gael gweld beth oedd am ddigwydd yno. Yng nghanol yr holl ddisgwyl llwyddodd Nessan i ddiflannu o'r dyrfa heb i neb sylwi arni'n mynd.

I ddechrau aeth at y pistyll i weld lle dylai'r dŵr oferu i lawr dros y creigiau. Am nad oedd dafn o ddŵr wedi

goferu o'r pwll heddiw roedd y llwybr yn sych. Teimlai Nessan ei chalon yn curo fel tabyrddau'r llwyth wrth iddi droedio gwely'r ffrwd am y tro cynta' erioed. Gwyddai bod y llwybr yn llithrig er ei fod yn sych a byddai'n bwysig cymryd gofal. Ond roedd yn rhaid mentro. Dibynnai ei holl gynllun ar fentro. Rhedodd wedyn o'r pwll i'r cwt lle cedwid y bara at drannoeth; byddai'n rhaid i Dara gael rhywbeth i'w fwyta ar ôl gadael y gaer.

Doedd hi ddim yn anodd cael hyd i'r cwt ble roedd Dara'n garcharor achos roedd milwr mawr tal yn sefyll gan bwyso ar ei waywffon wrth dwll y drws.

Roedd calon Nessan yn ei gwddf wrth iddi ymgripio am gefn y cwt, a diolchodd am dabyrddau'r drymiau rhag i'r milwr glywed sŵn ei chalon hi'n curo. Gweddïai na fyddai sŵn y drymiau'n tewi neu ni fyddai ganddi obaith o fath yn y byd i ryddhau Dara. Wedi cyrraedd cefn y cwt rhoddodd ochenaid o ryddhad.

Nid oedd ganddi amser i'w wastraffu, ond roedd ganddi ofn, ofn cael ei dal, ac ofn bod yn rhy hwyr i helpu Dara. Teimlai'n swp sâl; fu ganddi erioed o'r blaen gymaint o ofn. Ond roedd yn rhaid dal ati rŵan. Safodd ar flaenau'i thraed a rhedeg ei bysedd hyd y cerrig garw yn wal y cwt. Oedd, roedd y to grug yn ddigon isel iddi allu ei fodio wrth chwilio am ddarn rhydd o rug. Roedd gan y rhan fwyaf o'r

cytiau dwll gwynt, sef darn yn y to y gellid ei godi ar ddiwrnod poeth o haf er mwyn oeri ychydig ar y cwt. Diolch-odd Nessan am hynny wrth i ddarn o'r to symud dan ei dwylo. Pe na byddai twll gwynt yno byddai ar ben arni cyn dechrau.

Nid oedd hi'n ddigon tal i agor y twll yn iawn ond yn ofalus, ofalus gwth-iodd fodiau'i thraed rhwng cerrig y wal a dringo'n araf a distaw i fyny wal

y cwt gan ddal ei gafael yn y darn rhydd ar y to. Mewn chwinciad roedd hi ar ei bol ar y to yn rhyddhau'r darn i gyd ac yn ei osod yn swpyn ar y to grug. Diolchodd am y canfed tro am dabyrddau'r drymiau i dorri ar ddistawrwydd y nos.

Gwthiodd ei phen i mewn trwy'r twll yn y to ond oherwydd y tywyllwch ni welai Dara. Aeth ias o ofn trwyddi am eiliad: beth pe bai hi'n cael ei dal, neu gwaeth fyth, beth pe bai hi'n methu â helpu Dara? Ond doedd ganddi ddim amser i hel meddyliau; roedd yn rhaid iddi ddal at ei chynllun a hynny rŵan hyn cyn iddi fod yn rhy hwyr. O leiaf roedd ganddi obaith; roedd hi'n dywyll yn y cwt ac roedd y gwyliwr yn sefyll y tu allan.

Gallai glywed Dara'n anadlu fel anifail gwyllt wedi ei ddal.

'Dara, fi, Nessan, sy 'ma,' sibrydodd.

'Nessan, beth wyt ti'n 'i wneud yma?' holodd Dara'n daer.

'Taw. Mae milwr a gwaywffon yn ei law yn sefyll wrth ddrws y cwt. Wyt ti wedi dy glymu?'

'Ydw, wrth bostyn canol y cwt.'

Gollyngodd Nessan ei hun trwy'r twll yn y to a glanio'n ysgafn ar y llawr pridd. Ymbalfalodd yn y tywyllwch am bostyn canol y cwt a chael hyd i Dara yno wedi'i glymu. Estynnodd ei chyllell fwyd fach finiog a dechrau torri'r rhaff oedd am arddyrnau a fferau Dara.

'Beth sy'n digwydd?' sibrydodd Dara. 'Beth wnes i o'i le? Pam maen nhw wedi fy nghlymu i yma? Beth ydy ystyr y drymiau di-baid yma? Doeddwn i ddim yn eu deall yn iawn. Fe ddywedon nhw rhywbeth am y Fam Ddu. Beth sy wnelo fi â'r Fam Ddu?'

Roedd y chwys yn rhedeg i lawr talcen Nessan. Gwyddai nad oedd ganddi gymaint â hynny o amser tan fachlud y lleuad. Wrth geisio torri'r rhaffau eglurodd i Dara orau y gallai hi.

'Maen nhw'n credu mai'r Fam Ddu sydd wedi digio ac mai dyna pam nad oes dŵr yn y pistyll. A'r rheswm mae hi wedi digio ydy am i ti gael dy arbed.

Felly ar fachlud y lleuad heno maen nhw'n mynd i d'aberthu di.'

Clywodd Dara yn cymryd ei wynt ato a'r un eiliad llwyddodd hithau i dorri trwy'r rhaffau. Roedd yn rhaid symud yn gyflym rŵan.

'Tyrd brysia, Dara. Mae'n rhaid dianc oddi yma.'

'Paid â bod mor wirion! Does dim gobaith dianc.'

'Wrth gwrs fod gobaith.'

'Sut felly?' meddai Dara'n chwerw. 'Mae gwyliwr wrth y drws ac mae milwyr ym mhob twll a chornel o gwmpas y muriau.'

'Bendith i ti, Dara, tyrd, mae gen i gynllun, dim ond i ti ddod rŵan.'

'Beth?'

'Paid â holi, tyrd yn ddistaw, does gen i ddim amser i'w wastraffu yn egluro i ti.'

'Dos di, Nessan. Gad fi yma neu mi fyddi dithau hefyd mewn helynt dros dy ben a dy glustiau a chofia, rwyt ti'n ferch i'r Pennaeth.'

'Paid â bod mor wirion. Tyrd.'

Gafaelodd Nessan yn y wal a'i gwthio'i hun allan trwy'r twll yn y to. Naid fach ysgafn ac roedd hi'n swatio unwaith eto ar lawr tu ôl i'r cwt.

Roedd ei chalon yn curo fel gordd erbyn hyn. Oedd Dara'n mynd i'w dilyn ai peidio? Oedd o'n mynd i wrthod ei unig gyfle? Yna gwelodd amlinelliad tywyll yn erbyn yr awyr ac mewn chwinciad roedd Dara ar lawr wrth ei hochr.

'Be nesa?' gofynnodd.

Cydiodd Nessan yn ei law gan ei dynnu ar ei hôl tuag at ochr y môr i'r gaer ac yn ddigon pell o sŵn di-daw y drymiau. Rhedodd y ddau i lawr heibio i'r pistyll sych, yna dilyn y llwybr ble arferai gofer y pwll redeg nes roedden nhw bron yn union uwchben y clogwyni.

'Pam doist ti â fi i'r fan hyn?' gofynnodd Dara'n ddryslyd.

'Weli di ddim? Dyma'r unig ffordd y gelli di ddianc o'r gaer. Mae gwylwyr ym mhobman arall yn gwarchod y muriau,' atebodd Nessan.

'Wel, os ydy hi mor hawdd dianc ffordd yma pam nad oes neb yn gwylio?'

'Am fod y ffrwd o'r pwll yn arfer rhedeg hyd y llwybr yma nes ei fod yn llithrig a pheryglus,' atebodd Nessan yn amyneddgar. 'Allet ti byth gerdded ar hyd-ddo heb lithro a syrthio a malu'n ddarnau mân ar y creigiau. Am nad oes dim dŵr yn y pistyll mae'r llwybr wedi sychu a dydy o ddim mor llithrig rŵan. Fe elli di fynd hyd-ddo. Does neb yn disgwyl i ti ddianc y ffordd yma.'

Edrychodd Dara i lawr ar y creigiau ymhell, bell oddi tano a theimlodd ei stumog yn rhoi tro a'i ben yn ysgafn, a thrwy'r cwbl clywodd lais tawel Nessan yn ei wthio ymlaen.

'Mae'n rhaid i ti fentro, Dara. Hon ydy'r unig ffordd a dyma dy unig gyfle.'

Yna estynnodd dorth haidd iddo o

blygion ei gwisg. Gwasgodd Dara ei wefusau'n dynn a theimlai'r dagrau yn pigo cefn ei lygaid. Roedd yn rhaid iddo gael un ateb arall cyn y gallai fynd.

'Pam dy fod ti'n mentro cymaint er fy mwyn i, Nessan?'

'Am nad ydw i eisiau i ti farw.'

'Dydw innau ddim eisiau marw chwaith. Ond beth ddigwyddith i ti, Nessan?'

'Dim. Fydd neb ddim callach. Dos rŵan, a chymer ofal.'

Ceisiodd Dara ddweud rhywbeth ond allai o ddim—dim ond ei gwasgu'n dynn ato. Yr eiliad nesaf roedd ar ei bedwar yn ymgripio uwchben y môr.

Teimlai Nessan ddagrau poeth yn rhedeg i lawr ei bochau wrth iddi ddal ei gwynt a gwylio cysgod Dara yn diflannu i'r nos ar hyd y llwybr. Arhosodd yn ei hunfan am ychydig yn gwrando. Unwaith, clywodd sŵn carreg yn disgyn i lawr yr ochr ond dyna'r cwbl. Trodd yn araf a cherdded yn ôl tuag at sŵn y drymiau a oedd erbyn hyn yn diasbedain dros y gaer. Edrychodd ar y lleuad a gwelodd fod ychydig amser eto nes byddai'n machlud.

*   *   *

Ymgripiodd Dara ar hyd y silff gul uwchben creigiau'r môr. Ymhell, bell oddi tano gallai glywed sŵn gwan y môr yn torri'n drochion gwyn ar y creigiau. Roedd ei geg yn sych grimp a'i anadl yn fyr ond daliai i ymgripio ymlaen ar hyd y creigiau. Roedd yn rhaid iddo ddal ati; doedd ganddo ddim dewis.

Prin y gallai weld dim o'i flaen; teimlai'r graig â'i ddwylo, dim ond digon o le oedd yno. Rhedai chwys oer i lawr ei dalcen ac roedd ei ddwylo'n llithrig wlyb. Gafaelodd mewn carreg fawr ond daeth honno'n rhydd dan ei bwysau a chlywai hi'n diasbedain wrth daro'r creigiau ymhell oddi tano. Roedd ei sŵn yn diasbedain yn ei ben yntau hefyd. Roedd ei draed a'i ddwylo'n brifo, a gwyddai eu bod wedi eu sgriffio gan y creigiau ac yn gwaedu, ond doedd wiw iddo aros ac ni allai droi'n ei ôl pe dymunai wneud hynny. Dim ond marwolaeth oedd yn ei aros yn y gaer.

Fu ganddo erioed gymaint o ofn. Roedd cael ei ddal yn garcharor gan y gelyn yn ddigon drwg ond roedd hyn lawer iawn gwaeth na hynny. Meddyliodd am Iwerddon a'i gartref a daeth pwl mawr o hiraeth drosto.

Efallai na welai o byth mo Iwerddon eto, na'i fam na'i dad na'i chwaer fach, ac eto arno fo roedd y bai. Fo oedd wedi mynnu cael dod efo'i dad i frwydro i Gymru. Doedd dim dal arno a dyma fo rŵan yn dianc am ei fywyd. Un cam gwag a byddai ar ben arno! Efallai nad oedd pwrpas i'r ymgripio yma. Beth petai milwyr yn aros amdano ym mhen pella'r llwybr?

Yn raddol sylweddolodd fod y silff yn lledu ac ymhen dim roedd yn gallu cerdded hyd-ddi heb boeni. Yna cyrhaeddodd dir gwastad a dechreuodd redeg fel creadur gwyllt ar draws gwlad.

Wedi rhedeg am hydoedd a cholli'i wynt yn lân, arhosodd i feddwl. Doedd dim pwrpas rhedeg fel hyn heb unrhyw syniad i ble. Roedd yn rhaid iddo gynllunio. Wrth aros i feddwl sylweddolodd hefyd nad oedd ganddo unrhyw fath o arf i'w amddiffyn ei hun yn y wlad ddieithr yma pe byddai angen am hynny. Roedd Nessan, chwarae teg iddi, wedi meddwl am bob dim ond fe wthiodd y gyllell a ddefnyddiodd i dorri'r rhaffau yn ôl i'w gwregys yn ei brys wrth ei ryddhau. Doedd dim amdani ond dal ati i gerdded gan obeithio y dôi o hyd i'w bobl ei hun yn fuan.

Gwyddai Dara ei fod yn awr ar dir uchel oblegid gwelai gysgodion cytiau'r gaer islaw. Crwydrodd yn ddiamcan hollol am ychydig gan adael y môr y tu cefn iddo. Wrth grwydro fel hyn daeth at fan ble roedd dwy nant yn cyfarfod gan ffurfio pwll o ddŵr. Erbyn hyn roedd Dara bron â

thagu eisiau diod a phlygodd i dorri'i syched yn y pwll.

Wrth godi sylwodd ar garreg fawr ddu ar lan y pwll. Edrychai'n anferth a bygythiol yng ngolau gwan y lleuad. Roedd y garreg hon yn union yr un siâp â'r garreg y dawnsient hwy o'i chwmpas ganol haf gartref, y garreg honno oedd yn gwarchod ei lwyth. Camodd yn nes i gael gwell golwg arni ac wrth ei throed gwelodd olion esgyrn anifail wedi ei aberthu a thorch o flodau gwyllt y mynydd. Fflachiodd rhywbeth ar y garreg yng ngolau'r lleuad. Craffodd yntau a gweld y freichled gwydr glas a rodd-

odd Nessan i'w arbed ef. Sylweddolodd yn sydyn mai'r Fam Ddu y soniai Nessan gymaint amdani oedd hon. Ysgydwodd ei ben yn flin gydag ef ei hun achos gallai deimlo dagrau'n cronni'n ei lygaid eto wrth iddo feddwl am Nessan a chymaint a wnaeth i'w helpu. Ond doedd ganddo ddim amser i hel meddyliau.

Edrychodd o'i gwmpas ar y ddwy nant yn cyfarfod a llamodd ei galon pan welodd waywffon wrth droed y Fam Ddu yr ochr arall i'r pwll. Aeth

yn nes ati a gwelodd ei bod wedi ei gwneud o bres. Gwaywffon fel hon oedd gan ei dad a'i obaith mawr yntau ers pan oedd yn ddim o beth oedd cael

gwaywffon debyg i un ei dad. Cofiai fel y byddai wrth ei fodd yn gafael ynddi, oerni'r pres yn gyrru iasau trwy'i gorff, ac yna rhedeg ei fysedd hyd y cerfiadau a'i haddurnai. Roedd o'n meddwl y byd o'i dad; roedd o'n gallu gwneud pob dim, roedd o'n garedig ac yn ddewr a gwyddai Dara fod pawb yn y llwyth â pharch mawr tuag ato. Cofiodd fel y byddai ef bob amser yn ceisio'i blesio ac nad oedd dim yn rhoi mwy o bleser iddo na chanmoliaeth ei dad. Er mwyn ceisio plesio ei dad y mynnodd gael dod gyda dynion y llwyth i ysbeilio tir Cymru. Roedd ei fam wedi ymbil arno i aros gartref ond wrandawodd o ddim arni, a dyma fo rŵan ar ei ben ei hun mewn gwlad ddieithr. Welai o ei dad byth eto? Beth ddôi ohono? Gwyddai Dara fod gobaith iddo yn y waywffon. Gwaywffon a berthynai i'r Gwyddelod oedd hon, yn sicr.

Mae'n rhaid fod y Gwyddelod ar ôl ymosod ar y tir o amgylch wedi gweld

y dduwies ac wedi offrymu'r waywffon iddi rhag ei dicter. Gadawsent hi yn y man lle cyfarfyddai'r ddwy nant wrth droed y Fam Ddu.

Y Fam Ddu wir, doedd y garreg fawr oer yma ddim byd tebyg i'w fam. Cofiodd fel y byddai hi'n ei anwylo a'i gysuro ac yntau'n rhedeg ati o bobman. Biti na fyddai hi yma rŵan; fe fyddai ganddi hi eli i'w roi ar y briwiau ar ei draed a'i ddwylo, a fyddai hi fawr o dro yn cael gwared o'i ofnau i gyd. Ond doedd hi ddim yma—roedd o ar ei ben ei hun bach.

Edrychodd o'i gwmpas eto; roedd yn rhaid cael gafael ar y waywffon, doed a ddêl. Doedd dim amdani ond cerdded trwy'r pwll dŵr ati. Camodd yn ofnus i'r pwll a'i goesau'n crynu, gwthiodd ei ffordd drwy'r dŵr nes cyrraedd at y waywffon.

Wel wir, meddai wrtho'i hun, pwy fuasai'n meddwl fod cymaint o drug-areddau'n cael eu cario i lawr y mynydd gan y ddwy nant fach yma? Sôn am frigau a dail a gwellt sydd

wedi hel o gwmpas y waywffon, a hyd yn oed sgerbwd rhyw anifail. Doedd dim rhyfedd fod y pwll mor ddwfn a bod y nant wedi gorfod newid ei chwrs. Teimlai ei galon yn ei wddw wrth dynnu'r waywffon yn rhydd. Disgwyliai i holl ddicter y Fam Ddu ei daro, ond ddigwyddodd dim byd. Trodd at y Fam Ddu a dweud, 'Mae'n rhaid i mi gael y waywffon yma. Paid â bod yn ddig efo fi. Fe gei di ddau offrwm yn ei lle gen i. Fe gei di fy nhorth haidd a 'nghadwyn ambr.'

Tynnodd y gadwyn ambr oddi am ei wddf a'i gosod gyda breichled las Nessan ar ran uchaf main y garreg ddu. Roedd dagrau'n llosgi cefn ei lygaid wrth wneud hyn. Cofiai fel y cafodd y gadwyn ddwy flynedd ynghynt, cadwyn a berthynai i'r llwyth ac a roddid i fab hynaf y pennaeth. Deffrôdd o'i freuddwydion gan resymu ag ef ei hun fod ei angen am waywffon yn llawer mwy na'i angen i gadw'r gadwyn ambr.

Wedi gwneud hynny cychwynnodd ar ei daith. Yma ac acw roedd y gwair wedi'i sathru, roedd darnau o ddillad wedi cydio yn y mieri ac ôl carnau gwartheg i'w gweld yn glir. Gwyddai Dara yn ei galon na fyddai'n hir cyn cael hyd i'w bobl ei hun. Symudodd oddi yno ar frys.

Feddyliodd o ddim mwy am y waywffon na'r pwll. Ond wedi iddo dynnu'r arf o'r pwll, torrodd yr argae, cliriodd y brigau a'r sgerbwd a ffurfiai ochrau'r argae, ac yn fuan iawn roedd y nant yn dilyn ei gwely gwreiddiol i lawr ochr y mynydd gan ddiflannu tan ddaear wrth lwyn o ddrain. Wyddai neb i ble'r âi'r nant ar ôl diflannu ar ei ffordd i'r môr. Ei chyfrinach hi oedd honno.

* * *

Yn ôl yn y gaer roedd tabwrdd y drymiau'n cynyddu wrth i'r amser nesu at fachlud y lleuad. Mewn man clir wrth Neuadd y Pennaeth roedd

llawer o oleuadau llachar yn goleuo'r nos. Gyrrwyd rhai o'r milwyr i gyrchu Dara ond daethant yn ôl ar ras wyllt gan ddweud fod y cwt yn wag a Dara wedi mynd.

'Wedi mynd,' meddai'r Pennaeth, 'mae hynny'n amhosib. Roedd o wedi ei glymu yn y cwt ac roedd gwyliwr wrth y drws.'

'Does neb ar ôl yn y cwt.'

'Nac oes neb o gwbl, dim ond rhaffau wedi'u torri a'r twll gwynt yn y to wedi'i agor.'

Allai'r Pennaeth yn ei fyw gredu'r hyn a glywai. Galwodd am y milwr a osodwyd i wylio'r cwt. Gofynnodd yn flin iddo: 'Beth yw ystyr hyn, Istoreth? Mae'r carcharor wedi dianc.'

Roedd wyneb Istoreth fel y galchen a'i lais yn crynu wrth ateb.

'Wn i ddim. Welais i ddim a chlywais i ddim a symudais i ddim o warchod twll y drws.'

'Fe wyddost o'r gorau beth fydd canlyniadau hyn,' meddai'r Pennaeth yn oeraidd. 'Os na chawn ni hyd i'r carcharor bydd yn rhaid i ni d'aberthu di i'r Fam Ddu yn ei le. Ydy hynny'n deg?'

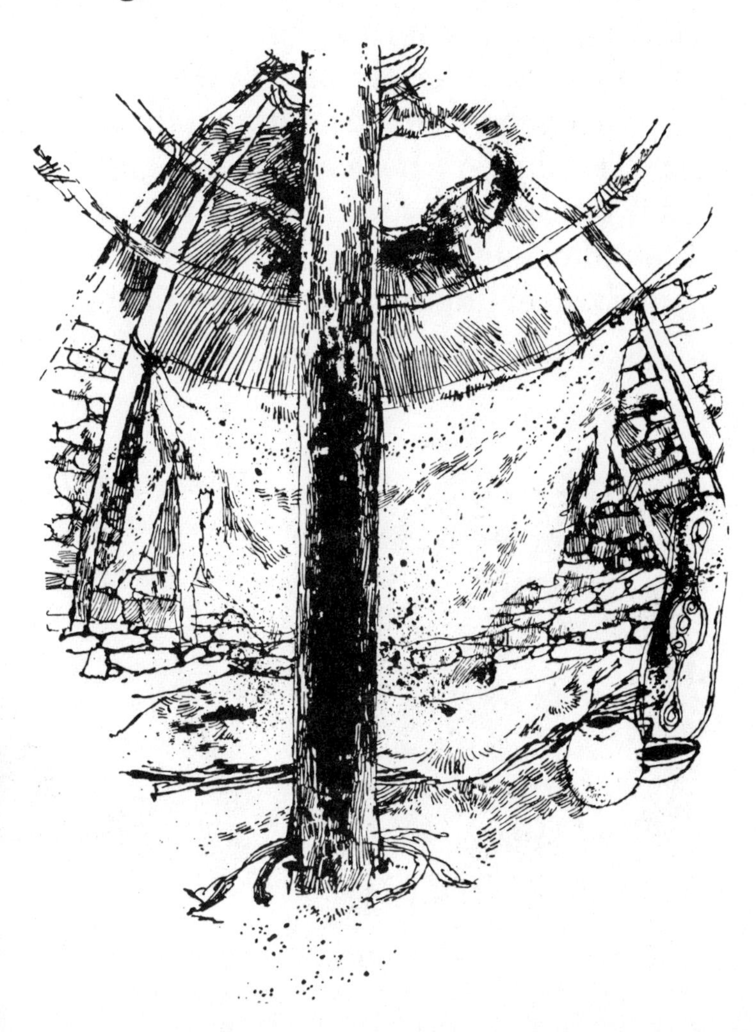

Edrychodd Istoreth yn hir arno ac yna sibrwd: 'Ydy, mae hynny'n deg.'

Trodd y Pennaeth at y milwyr o'i gwmpas a'u gorchymyn i chwilio pob twll a chornel o'r gaer. Roedd yn rhaid cael hyd i'r carcharor.

Safai Nessan ar gyrion y dyrfa, yn y tywyllwch o gyrraedd y lampau llachar. Teimlai ei choesau yn gwegian oddi tani a chyfog yn codi i'w gwddf. Gwyddai nad oedd ganddi'r dewis a chlywodd ei llais ei hun fel cloch uchel

yn torri trwy holl siarad a holi'r llwyth.

'Waeth i chi heb â chwilio'r gaer am Dara. Dydy o ddim yma. Mae o'n ddigon pell oddi yma erbyn hyn.'

Tawodd y sŵn. Roedd pawb wedi eu syfrdanu gan yr hyn a glywsent. Roedd y peth yn amhosibl. Merch y Pennaeth.

'Beth wnest ti, Nessan fach?'

Camodd Nessan trwy'r dyrfa ac i'r cylch golau ble roedd ei thad yn sefyll a'i filwyr o'i gwmpas.

'Fi sydd wedi helpu Dara i ddianc. Allwn i ddim gadael iddo gael ei aberthu, felly fe ddringais i'r cwt a thorri'r rhaffau a dangos iddo'r ffordd allan o'r gaer ar hyd gwely'r nant uwchben y clogwyni. Roedd hi'n berffaith saff mynd y ffordd honno heno.'

Ochneidiodd y Pennaeth a chuddio'i ben yn ei ddwylo wrth wrando ar hyn. Roedd hyn yn amhosibl, Nessan ei unig ferch wedi gwneud y fath beth. O, na fuasai ei mam wedi byw ar ôl rhoi genedigaeth i Nessan; fe fyddai hi'n gwybod beth i'w wneud. Roedd o wedi colli ei wraig yn fwy nag a dybiai unrhyw un. Oedd o'n mynd i golli Nessan hefyd? Nessan oedd mor debyg i'w mam, a'i hatgoffai am ei wraig ym mhob ffurf ac ystum. Nessan oedd yn gymaint o gysur iddo . . .

Daeth Laethrig yr hen Offeiriad ati a gofyn, 'Ac rwyt ti'n mentro dod i'r fan hyn i gyfaddef?'

'Beth arall wnawn i?' gofynnodd

Nessan. 'Allwn i ddim gadael i chi aberthu Istoreth, a finnau'n euog. Roeddwn i'n gwybod wrth helpu Dara, os na ddôi dŵr i'r pistyll, y byddai'n rhaid i mi gyfaddef.'

'Ti sydd wedi gwneud y dewis,' meddai'r Offeiriad. 'Tyrd yma,' ac estynnodd am y ddysgl bridd a

ddefnyddid i gadw'r ddiod a ddôi â'r Cwsg Hir.

'Na,' llefodd y Pennaeth.

'Mae'n rhaid i mi,' oedd ateb yr Offeiriad.

Camodd Nessan yn simsan at Laethrig. Safodd o'i flaen. Roedd y dyrfa i gyd fel petai'n dal ei gwynt.

Doedd dim sŵn yn unman. Dim sŵn gwynt nac anifail. Roedd pawb yn disgwyl. Yna, o rywle i dorri ar y distawrwydd clywyd sŵn isel fel sŵn dŵr yn disgyn.

'Arhoswch eiliad,' sibrydodd un o'r merched a safai agosaf at y pistyll. 'Rydw i'n siŵr i mi glywed sŵn. Gwrandwch i gyd. Shh!'

Roedd pawb erbyn hyn yn clustfeinio a chlywyd sŵn unwaith eto.

'Mae'r dŵr yn dod yn ôl i'r pistyll,'

gorfoleddodd y wraig. 'Hŵre, rydyn ni wedi'n hachub,' a chydiodd yn y wraig agosaf ati gan neidio a dawnsio.

Rhuthrodd pawb i weld beth oedd yn digwydd, ond safodd Nessan yn ei hunfan â'i llygaid ar gau a'i meddwl yn gwibio'n wyllt. Beth fyddai'n digwydd iddi hi? Fyddai hi'n cael ei haberthu i'r Fam Ddu rŵan? Oedd hi'n bosibl iddi gael ei harbed? Symudodd hi'r un gewyn, ond gallai glywed sŵn rheolaidd y dŵr yn disgyn

i'r pwll. Cyn hir byddai'n llawn a byddai digon o ddŵr i bawb. Ond beth amdani hi?

Gwahanodd y dyrfa i wneud lle i'r Pennaeth a Laethrig gerdded at y pistyll a daeth distawrwydd annifyr drostynt. Dyma nhw wedi bod yn gorfoleddu heb wybod beth fyddai'n digwydd i ferch y Pennaeth.

Clywodd Nessan lais ei thad yn dweud wrth Laethrig,

'Edrych mae'r dŵr yn ôl, mae'r pwll yn llenwi.'

Ac yn wir, yng ngolau'r ffaglau gallent weld y dŵr yn sgleinio yn y pistyll a gwaelod y pwll yn dechrau llenwi.

'Rydw i'n gweld,' atebodd yr hen Offeiriad.

Wrth glywed ei lais gwyddai Nessan fod ei lygaid wedi mynd yn bell unwaith eto.

Roedd pawb yn disgwyl a'r dyrfa i gyd fel petai'n dal ei gwynt. Yr unig sŵn i dorri ar y distawrwydd oedd sŵn dŵr y pistyll yn disgyn ac yn ail-lenwi'r pwll ac ambell aderyn y nos yn sgrechian yma ac acw. Clywodd Nessan yr hen ŵr yn ochneidio a gwyddai ei fod ar fin dod yn ôl o'i freuddwyd bell.

'Mae'r Fam Ddu wedi siarad â mi. Dydy hi ddim yn ddig mwyach ac nid oes angen aberthu. Roedd y parod-rwydd i aberthu yn ddigon ganddi,' meddai mewn llais gwan crynedig.

Teimlodd Nessan ei choesau'n crynu oddi tani. Agorodd ei llygaid ac am eiliad ni allai weld dim yn y golau llachar o'i chwmpas, ond gwelodd ei thad yn camu tuag ati a lluchiodd ei hun i'w freichiau gan feichio crio. Wyddai hi ddim pam ei bod yn crio. Roedd ganddi hiraeth am Dara, roedd hi mor falch nad oedd raid iddi farw a hefyd roedd hi wedi blino'n ddychryn-llyd. Cododd ei thad hi i'w freichiau

a'i chario i'r cwt. Cyn iddo'i rhoi i orwedd rhwng y crwyn ceirw ar lawr roedd yn cysgu.

Ar yr un pryd ymhell i fyny'r mynydd, rhyddhaodd y bluen olaf ei hun o'r argae wrth droed y Fam Ddu a nofio'i lawr y nant tuag at y môr.